TE DIRÍA QUE FUÉRAMOS AL RÍO BRAVO
A LLORAR PERO DEBES SABER
QUE YA NO HAY RÍO NI LLANTO

Te diría que fuéramos al río Bravo
a llorar pero debes saber
que ya no hay río ni llanto

JORGE HUMBERTO CHÁVEZ

Premio Bellas Artes de Poesía Aguascalientes 2013

POESÍA

Primera edición,   2013
  Primera reimpresión, 2013

Chávez, Jorge Humberto
    Te diría que fuéramos al río Bravo a llorar pero debes saber que ya no hay río ni
llanto / Jorge Humberto Chávez. — México : FCE, Instituto Cultural de Aguascalientes,
INBA, Conaculta, 2013
    92 p. ; 23 × 15 cm — (Colec. Poesía)
    ISBN 978-607-16-1391-2

    1. Poesía mexicana 2. Literatura mexicana — Siglo XXI I. Ser. II. t.

LC PQ7298   Dewey M861 Ch339t

Distribución mundial

Diseño de interiores y portada: León Muñoz Santini

© 2013, Instituto Nacional de Bellas Artes y Literatura
Av. Paseo de la Reforma y Campo Marte S / N, Col. Polanco Chapultepec,
Del. Miguel Hidalgo, C. P. 11560, México, D. F.

© 2013, Instituto Cultural de Aguascalientes
Venustiano Carranza 101, C. P. 20000, Aguascalientes, Ags.

D. R. © 2013, Fondo de Cultura Económica
Carretera Picacho-Ajusco, 227; 14738 México, D. F.
www.fondodeculturaeconomica.com
Empresa certificada ISO 9001:2008

Comentarios: editorial@fondodeculturaeconomica.com
Tel.: (55)5227-4672. Fax: (55)5227-4694

ISBN 978-607-16-1391-2

Impreso en México • *Printed in Mexico*

El jurado del Premio Bellas Artes de Poesía Aguascalientes 2013, compuesto por Hugo Gutiérrez Vega, Efraín Bartolomé y Nelson Simón, decidió entregar, por unanimidad, el premio al trabajo titulado *Te diría que fuéramos al río Bravo a llorar pero debes saber que ya no hay río ni llanto*, firmado con el seudónimo Perro de Ulises, porque con un lenguaje seco y de alta densidad poética nos da una crónica precisa de la atmósfera trágica que vive una zona de México.

Jorge Humberto Chávez (Ciudad Juárez, 1959) es autor de los títulos de poesía *De 5 a 7 pm* (Fonapas Nuevo León, 1980), *La otra cara del vidrio* (Praxis/Dosfilos, 1984), *Nunca será la medianoche* (Premiá Editora, 1987), *La lluvia desde el puente* (Boldó i Climent Editores, 1992), *El libro de los poemas* (Dosfilos/Ponciano Arriaga Editores, 1996), *Bar Papillón* (UNAM, 2000), *The City and the Endless Journey* (University of Texas at San Antonio/Instituto de México, San Antonio, 2003), *Bar Papillon et Le poème triste* (Mantis/Écrite des Forges, Québec, 2004), *Ángel* (Mantis Editores, 2009) y *Angelo* (Sentieri Meridiani Edizione, Italia, 2011).

SUMARIO

Jorge H.: Periodista. Dallas, Tx.
Natalia: Nutrióloga. Juarez City
Deimy: College Student en El Paso, Tx.
Rosy: Estudiante y Ama de Casa en S. L. P.

1. CRÓNICAS

105 alfileres han detenido el curso de tus desnudos pétalos farfala
de cinco años del río Bravo del Norte

como un barco en medio de la luz avanzando la tarde al flanco
de los cerros del poniente jugabas por ahí en la acera

mientras tu madre y la vecina de enfrente hacíanse un pormenor
de las nadas que llenan nuestras vidas

el sol cae ruedan los autos por la calle de tierra y el aire crepuscular
lleva como acordes las palabras del Dios malo

a los oídos de la mujer que te ve jugar a diario enfrente de su casa
y tu madre se levanta y dice vuelvo

y nunca más te volverá a ver

la mujer se acerca y te toma de la mano y atraviesa contigo el polvo
levantado por los automóviles

llegan a la estancia miserable donde la voz de Dios insiste en
su propósito ponle un alfiler y otro alfiler

y otro alfiler hasta llegar al 105 para que se detenga la voz y el sol
termine por entrar bajo los cerros

y el polvo de los coches se asiente sobre el mundo

mi padre tuvo la sabia idea de refugiarse en un hospital

y morirse el mismo día

en que el pueblo votó al nuevo gobierno

y no alcanzó a ver

que empezaron a caer como moscas

primero los del otro lado de la ciudad

luego los de la colonia contigua más tarde los conocidos

después los vecinos

y finalmente el atardecer nos regaló la muerte del amigo

y del hermano

y la ciudad como un animal en cacería y los automovilistas que
avanzan pronto pronto observando de reojo al conductor de
al lado que vigila por el retrovisor al conductor de atrás

mientras el policía el magistrado y el ladrón se ponen de acuerdo
y dicen ahora vas tú y luego sigues tú y el animal empezó a perder
el resplandor de su pelaje y más tarde la piel

mírate ahora convertido en un pequeño animal

con los ojos en las cuencas de sus hijos

vagando ciego y sin corazón por las ciudades

EL HOMBRE DE SHORTS BLANCOS
ME HACE PENSAR EN MI PADRE

Para Miguel Ángel Chávez Díaz de León

María de la Luz solía tejer el sol de la mañana y convertirlo en una
gran charola de pan dulce al centro de la mesa de mi poca edad con
mis hermanos

sábado para lavar la troca del abuelo una chevrolet 55 azul sábado
esperando huir de Dios en la mañana del domingo

los jóvenes reclutas de Fort Bliss con sus largos automóviles
despidiéndose de sus chicas como si fueran de paseo a la línea
de fuego

la frontera como un espléndido animal tirado en el pasto cultivado
con el lomo irradiante de luz

recuerdo estar limpiando el parabrisas y verlo asomar en la esquina
remota con una pequeña caja en las manos

me recuerdo diciendo en voz alta mamá alguien viene yo creo que
ese hombre es mi padre y así fue

lo habían detenido un día antes en Denver mientras tomaba un lunch
en la fábrica de colchones de Stuart Street

y pidió el favor de ir por su caja al locker porque en ella estaban
nuestras tarjetas de esa navidad y algunas fotos

esto lo recuerdo como una estampa paradisiaca porque guerra
y deportación eran sin duda otra cosa

ahora que al conducir mi auto por la avenida aminoro la velocidad
porque ese hombre de pantalones cortos blancos

está acostado nada más ahí con un tiro que le ha hecho un pequeño
agujero sin sangrado en el pómulo izquierdo

mientras voy a verte

El 6 de octubre de su año Armando El Choco nos comentó en
una fiesta que lo habían ido a buscar

y lo encontraron un mes más tarde esa mañana que calentaba el motor
de su auto para llevar a sus hijas a la escuela

en 1967 íbamos al río Bravo a lavar los coches del barrio primero
el del Chato luego el de Bogar y al último el de Huarache Veloz

en 1990 los policías iban al río Bravo a pescar muchachas que
esperaban en la orilla para cruzar a El Paso

en el año 2010 ya sin río casi un migra y Sergio Adrián de 13 años
pelearon él con una piedra en su mano y el agente con un revólver

ese mismo año en una tienda de Salvárcar el empleado se negó a pagar
una extorsión y recibió un tiro en la cara

y 17 vecinos suyos fueron cazados uno a uno mientras celebraban
la victoria de un partido de tach

oh jóvenes hijos de Cadmo yo sé que quisieran estar en otra parte
pero hoy están aquí cantaba el viejo Ovidio

y a ti mujer que sacaron de su casa y amenazaron con matar
a tu marido si no subías a tu último paseo en auto

te diría que fuéramos al río Bravo a llorar pero debes saber que ya
no hay río ni llanto

1. La palabra troca sobre una colina es como un altar con su fondo
magenta de nubes que hiere el sol de tarde

2. Miedo se llama la avenida que se extiende llena de luces y
sin autos un sábado a las 10 de la noche en la frontera norte

3. Esa muchacha en la vera de una glorieta que detiene a
los conductores y les dice llévame a donde quieras por 200 pesos
no tiene nombre ni apellidos

4. Patio de tierra con un montón de grandes rocas redondas en el
fondo y una mujer bajo la luna trenzando el pelo de la niña
fantasma

5. Vecinos de la calle Rayón jugando lotería a la luz del arbotante
cantando los nombres de El Diablo y La Muerte anunciando los años
que vendrán

6. Una pareja disputando las sillas y las lámparas de casa mientras
en la acera de enfrente su vecino agoniza con cuatro tiros en el pecho

7. Delia admirando su cuerpo desnudo en la luna del ropero sin
advertir que un niño de 6 años está de visita en el sofá

7.1. Y toma nota de su belleza esplendente para ponerla ante
tus ojos

7.2 . 40 años después

El mundo es sencillo cuando tienes nueve años la lluvia por ejemplo
siempre corre del poniente lavando los guijarros de la calle

no hay este: sólo norte y poniente la palabra sol es del poniente
la palabra río queda en el norte la palabra mojado norte también

guerra quiere decir Fort Bliss o Vietnam y la palabra papá quiere
decir Denver o un viejo chevrolet esperando a su dueño

papá es norte la palabra país era difícil no era poniente ni norte país
parecía decir ciudad algunos la usaban mejor como barrio

al amparo de la montaña Franklin que era norte y los atardeceres
y las lluvias ponientes apareció la palabra sur

ese mismo día llegó la palabra masacre: significaban trescientos
estudiantes abaleados de pronto en una plaza

país no era entonces la casa era más bien una extraña frontera donde
pasaban cosas que no se podían decir

madre es como una gran charola de pan dulce y la palabra país más
bien se trata de que no tengas panes en la mesa

no es difícil entonces comprender lo que son a los nueve años
la palabra masacre la palabra sur la palabra país

ESA MAÑANA HABÍA DEJADO DE FUMAR
(11-09-01)

De todos los vicios que tengo el cigarro es el que me da menos placer
te había dicho esa mañana temprano

naufragando en el maelstrom de la resaca llevando mi cabeza al chorro
de agua fría luchando contra el sabor del humo en mi boca

en el televisor se escuchaban las noticias con un extraño ritmo
urgentes voces rápidos giros palabras encimadas

tú volviste al sueño y apareció en la pantalla la imagen de una torre
ardiendo y otra babel de informes y notas

era la Norte: coño y carajo: eso alcancé a oírme y dije despierta algo
está pasando en la nueva yorka esto no puede ser

tú te moviste un poco y seguiste soñando con el Mall de Cielo Vista
que sacaba toda la ropa de marca a sus pasillos

en eso apareció el segundo avión volando muy bajo y sin prisa para
que lo siguieran bien las cámaras

y tómala contra la Torre Sur y el fuego y creo que alcancé a distinguir
un escritorio eyectado entre papeles de oficina

di un rápido vistazo al buró por mis cigarros pero recordé que había
decidido dejarlo y volví al televisor

necesitas despertar ahora mismo el mundo está cambiando frente
a nosotros ahí en la misma televisión

no hay resaca que pueda contra el hecho de que Dios haya renunciado
a su oficina esa mañana en la casa del vecino

no hay símil o metáfora para esto: el piso 85 de la Torre Sur cayó
sobre el piso 84 y luego ambos sobre

el piso 83 y luego cayeron los tres sobre el 82 y así por cerca de
10 segundos hasta llegar al mismo sótano

y luego siguió la Torre Norte y sólo alcancé a oír que muy quedo
decías híjole y yo que no me puedo despertar

más tarde en mi auto camino a la oficina todo era normal excepto
una barricada de cemento que impedía el acceso a la avenida Lincoln

cerrado el consulado americano cerrado el puente internacional
cerrado el aeropuerto Abraham González

y después las filas de coches coralillos cruzando la frontera inmóviles
por horas con sus colores bajo el sol

la gasolina a la alza los pasajes de avión a la alza los bolsos louis
vuitton a la alza los cigarrillos al doble de su precio

2006

En el año 2006 mi padre adelgazó tanto
que pudimos meter su cuerpo en una caja
de 1.70 por .65 m

yo mismo empecé a perder humanidad
con el demonio muy adentro
86 kilos en febrero 69 en julio

En el 2006 el amor adelgazó tanto
que apenas una brisa lo podía cruzar
al otro lado de la línea fronteriza

En el año 2006 mi país empezó a adelgazar
la calle y la noche más flacas cada vez
la ciudad crecida de cadáveres

El meridiano acaba de pasar entre los escasos árboles de esta calle
que está por entrar a su estamento oscuro

suenan los motores de los autos en esta esquina de la colonia
El Campa un perro se detiene antes de cruzar a la otra acera

cuatro muchachos están de pie con las espaldas en la barda de
la escuela Pedro Medina creyendo aún que nada ocurrirá

sus pasos los habían alejado de casa esa mañana para emprender
sus caminos a la cita de las 12 con 40

y he aquí que empieza la música en el Paseo de los Compositores
alguien grita el perro huye silente calle abajo

el cuerpo A cae de inmediato tez morena clara de veinte años
complexión regular vestido en su color azul

algunas balas atraviesan los bloques de argamasa del muro y caen
en el patio donde los niños juegan básquet

el cuerpo B queda un poco sobre el A camisa blanca 1.70 viste
un pantalón de mezclilla y muere con veintitrés años

los chicos que juegan olvidan su pelota y corren hacia las aulas
donde sus profesores charlan y beben refrescos

el cuerpo C de veintiún años es delgado y moreno pero su camisa
es morada y tiene aún puesta una cachucha negra

una joven que oyó los disparos frente a su puerta sale sin alma
a buscar a su hija en la tienda de abarrotes

el cuarto muchacho alcanza a correr pero cae bañado de balas y sol
en el centro de la calle y su rostro queda en un hueco del asfalto

ahí la joven mujer lo encuentra y nota que sus respiraciones levantan
una fina nube de tierra que sube al aire desde su nariz

mide 1.60 de estatura es también moreno viste camisa y tenis grises
vivió solamente veinte años: cuerpo D

los caminos de la vida no son como yo esperaba nos está cantando
ahora un ballenato melancólico

que surge lejos desde un estéreo entre las angostas casas que han
tenido que cerrar ventanas y puertas

un camión urbano pasa atronando la luz del mediodía y rompiendo
el orden que la muerte ha instalado en esta calle

los árboles que ven desde la acera se mantienen inmóviles pero en
este día de noviembre se negarán a dar su sombra

La ciudad es una. Un río sucio la parte en 2: ciénaga de sudores.
La poesía es muchas: palabras que transmutan apenas cruzas este río.
Una mirada escruta desde los arbustos el paso verde en el agua.
Aquí es el fin del cerrado corazón, el término de un país huérfano;
aquí comienzan otros significados.

El río rojo separa a la ciudad y en cada universo arma su historia
de fiesta o pesadilla. Apenas se traspone el linde la misma voz ora
otras realidades. Desde esta orilla hay la sangre sobre las piedras
y enfrente el arma todavía busca su blanco: piel bañada de lunas
magras contra el silbido del metal. Pero la ciudad es una sola.

Hay un río negro avanzando en medio de la ciudad, un río armado
de noche entre las astas de los edificios. Divide a la ciudad en negro
y blanco. El sur es un grito; el norte es una fiesta de luz. Este río
avanza bajo los puentes como una daga segando algodonales.
Duele y canta la ciudad, pero bajo la luz del sol es una sola.

Cómo saber quiénes vinieron a esta casa cómo si las puertas no han
cerrado desde que me acuerdo

y aquéllos que entraron por el norte debían desocupar pronto pronto
por la salida que da al poniente

apenas con tiempo para yacer de espaldas un momento a esperar
a que alguien llegara y pudiera decir

esta muchacha se llama Rocío este señor es Julián aunque ya no
pudieran responder de tanto estar dormidos

escuchando los pasos que llegaban de la acera entre el ruido de
los autos y el estruendo de la propia disolución

en un intento de reconocer el ritmo de un andar y así advertir qué
tan cierto es no saber tornar a la vigilia

esto es lo que hay: una brisa que lleva un perfume de días en derrota
y cuerpos que aparentan descanso

una rodilla levemente alzada una mano con su palma a la vista
unos labios que intentan la sonrisa y no saben

y esa muchacha rubia de senos desnudos que tiene su boca en tu oído
y te narra los sueños que perdió en la eternidad

I. BUSCANDO THE LITTLE LONGHORN BAR

El programa público de Fotografías para los Ciudadanos Comunes
de Austin permite capturar los rostros de esas personas en las
que nadie pone los ojos

y es que hay hombres y mujeres que nadie ve pero lo más grave
es que ellos lo saben y esto ocurre porque

las ciudades viven de prisa y los que habitamos en ellas estamos
en tal ritmo que a pesar de nuestra filiación con la *polis* y de
la importancia de todos por igual

acabamos por no ver a los demás quizá del mismo modo en que
a veces caminamos por calles enteras pensando en los hoteles vacíos

y suponemos que nadie en su casa está despierto que los pocos
que van por las aceras se están hundiendo cada uno en su pozo que
ya no hay gente

y que a eso se debe que nadie nos ve

2. MARTHA HARDING, MESERA

De mesa en mesa

entre acordes y cantos felices Martha sirve vino blanco y cerveza
en el Little Longhorn Bar de Barnett St.

dice que sirve tragos desde que ella se acuerda en los bares de Austin
y pienso que quizá lo hacía en 1979 cuando yo muy joven

soñaba en mis cinco sentidos viajar desde Juarez City y venir a
la universidad a infiltrarme en la clase del profesor J. L. Borges

sería mucho decir que alguna vez Martha Harding le sirvió una copa
al Señor Borges pero seguro lo hizo con algunos de sus muchos
discípulos

como lo hace ahora conmigo y eso es todo lo que tengo en común
con el querido maestro argentino

es cierto que tardé treinta años en venir a Austin con Borges pero
mi consuelo es que llegué al fin

qué pobre es el consuelo del corazón cuando el hubiera es todo
su remedio

3. QUE TENGAS DE SOBRA ESTE AÑO NUEVO

Una botella de vino y una mesa en que poner la botella y una casa
para asentar la mesa

panes y frutas que son alimento de ángeles y un poco de asado para
tu sencilla parte de humanidad

aquí en la fiesta de año nuevo de Austin nos acompañan Leonel
y su novia Samia que ha venido de Egipto

de Ciudad Juárez llegaron Deimy Yolanda con Natalia y Jorge H.
Chávez Ramírez

para todos ellos paz en sus atormentados ánimos y para sus países
un nuevo corazón

bocas y ojos alegres porque los oscuros de ver y decir están viviendo
más cerca de la muerte

otro Dios para todos menos amigo del lujo y de la usura más cercano
a quienes lo buscan más humano y más simple

la mano infalible de un amor que al detenerse en tu cabeza te dé calor
y calma en esas noches densas y azules

que no tienen estrella alguna ni cobijo ni esperanza

EL DERRUMBE

Bajo la carne encuentras el suave maderamen de los huesos

frente a la bala

definitiva y de precisos dientes con la llama en el viaje que incendia
su silbido es frágil toda piel

un filo recto y suave un mínimo y lento crepitar cálidos dedos que
son casi caricias

abriéndote músculo y sentidos

es tan frágil la piel tan vulnerable el paso de la sangre

en este largo día de sol desde esta ciudad que se calcina yo te hablo
del llanto y de la herida

2. FOTOGRAMAS

BALTAZAR PADRE

Ahora, cada vez que me asomo a los espejos te veo más a ti mientras
mi cara poco a poco se borra, padre

baten cónicas aves su aletear sobre nosotros porque la vida nos lo
ha complicado todo las mujeres los hijos el amor la poesía

sé que alguna mañana tu rostro y el mío terminarán por ser el mismo
en la cama de un hospital deslavado el color de nuestros ojos

pero hoy todavía el país ha amanecido envuelto en el aroma del café
y hay en la cama una linda muchacha que sueña el porvenir

inmerso todo en una insólita belleza

CRÓNICA DE PIERRE LACHAISE
O EL PASEO DE LOS MUERTOS

Hey señor maestro Guillaume Apollinaire ahora que lo pienso
nosotros también libramos una guerra en el frente del norte

contra el duro corazón de ellas contra el poder oscuro del dinero
contra las usuras del espíritu

por eso fui a buscarte aquella tarde en París y por eso antes de llegar
al cementerio compré un poco de vino y un descorchador en
un estanco

al entrar de inmediato escuché una voz entre las tumbas la voz
inconfundible de Juanjo Rodríguez que debía estar en Mazatlán

se trataba de un guía de turistas españolas se trataba de Juanjo
haciéndose pasar como guía de unas chicas españolas

después de la sorpresa y saludarnos me uní al grupo y Juanjo me llevó
a la tumba de Jim el Lagarto y le dije

que estaba bien pero que yo necesitaba llegar hasta tu lápida porque
te había prometido un vino hacía treinta años

oh viejo profesor vi tantas cosas con tus ojos amé tanto con
tus palabras y ahora caminaba entre el *rebaño de los puentes*

con vino en las bolsas de mi gabardina vino nada más para ti un vino
como una moneda esplendente

Marcial otro hombre de libros de México también estaba ahí
y dejamos a las muchachas para ir a tu encuentro viejo Apollinaire

dos horas leyendo nombres de tumbas tan vulgares como las de
Augusto Comte Isadora Duncan y Colette

y de pronto en los mármoles estabas GUILLAUME
APOLLINAIRE DE KOSTROWITZKY 26 AGUT 1880. 99
DAE 1918- JAQUELINE APOLLINAIRE 1891-1959

picaba el sol hacia los campos a lo lejos y nunca había estado
tan cercano a la grandeza como esa tarde junto a ti

destapé una botella de vino apenas lo caté y vertí el primer chorro
donde debe estar tu cabeza y dije

me llamo Jorge y creo que te debo algunos amores y te debo la poesía
y vengo desde México a brindar contigo

contigo brindo por tus pies y solté vino contigo brindo por tu mano
derecha y solté vino y contigo brindo por tu mano izquierda

y brindo por Jaqueline la Linda Pelirroja y dejé caer sobre la tumba
el resto del alcohol y Marcial gritó Jorge deja un poco

no señor le dije esta botella era para Guillermo Apollinaire pero no
te preocupes porque hay 2 bolsas en mi gabardina

y destapé la botella segunda y a pico empezamos a beberla y el mundo
se aproximaba a su culminación

de regreso me negué a darles vino a Alfred de Musset a Sara Bernhardt
y a un tipo farsante llamado Allan Kardec

no así a Federico Chopin a quien le aventé un trago *oh torre Eiffel*
pastora el rebaño de los puentes bala esta mañana

apiadaos de nosotros que combatimos siempre en las fronteras de
lo ilimitado y por venir

ESE HOMBRE SENTADO EN LA BANCA
SE LLAMA W. C. WILLIAMS

> Una vez / en El Paso, / hacia el anochecer,
> vi (oí) / a diez mil gorriones.   W. C. W.

Larga es la Interestatal 10 y desde ella puede verse la luz de
las ciudades abajo Juárez City arriba El PasoTexas

grandes almacenes de vidrio a sus costados y 2 y medio millones
de personas soñando en idiomas diferentes

sueños de tierra y de metales sueños de niños en sus bicicletas
paseando entre las fábricas sueños de trenes como puentes

en 1911 desde El Paso podía verse a los hombres de Villa
disparando sus fusiles de poniente a oriente

para evitar que una bala perdida lastimara a los turistas que espectaban
nuestra revolución en sus cómodas terrazas

y veinte años después fuimos el Paso del Sur y fue tanto el whisky
que corrió por las calles que la borrachera duró 50 años

mujeres y hombres sin esperanza alguna encontraron su patria
y su verdad en la voz y la pelvis de Elvis el Rey

cerca del Mississipi una dama negra llamada Rosa Parks tomó
su acostumbrado autobús y cambio para siempre el rostro de América

al empezar los sesentas una bala partió de un almacén de libros
y rebotó en un lincoln oscuro y fue a alojarse en los muros
de un teatro

luego pudimos ver a los muchachos americanos en su guerra dejando
atrás a sus coches y a sus novias

otros tramontaban los peldaños del aire y desembarcaban en la luna
con sus grandes y blancos zapatos

pero ahora que me sirven la copa segunda en este bar de Mesa Street
creo que nada de esto fue importante

a no ser aquel anochecer que viste y oíste a diez mil gorriones llegar
del desierto a esta misma plaza

y dijiste las palabras que te hacen memorable:

éste fui yo
       William Carlos Williams
                 hice lo que pude
adiós

MADRE

Hay una ventana en la calle Fierro
en la casa del número 300 de la calle hay una ventana
hay una noche de abril en esa ventana de la casa
una fecha está aún en la ventana de Fierro 300
si te fijas bien en la casa de la calle Fierro verás
a un muchacho recargado en la ventana
él está en esa fecha de abril y aún pregunta por qué
a pesar de saber que no hay estrella que responda

Plancha la reina una camisa. Desde mi piel pegada a los huesos le
agradezco. Le hablo de ti, aterido de nieve en un arbusto con el
cielo pegado a tus párpados, con el cielo negrogrís justo encima de
tus ojos, observándote. Con sus manos hechas para tejer las ilusiones
del aire, ligerísimas y suaves; con esos dedos ajenos al cardo y a la lija
ella plancha resignada la camisa que ha de vestir mis huesos. Le digo
de ti, encerrado en la dura concha de tu vocación de roca en el centro
del páramo, de hoja en la acera sin más, hundido en el pozo de tu
contemplación de ti en tu pozo. Ella apenas me responde con
una mirada fría porque sus bellas manos, hechas para mover
y adelgazar la música, planchan una camisa que espero para cubrir
mi torso extinto, tan adelgazado como el tuyo que tiene días tirado
en el invierno de nieve, ahí en la aguja mortal de la llovizna.

Nació en 1981 en uno de los fines del mundo oh sí
no conoció a su padre porque una troca lo segó como a una hierba
su madre la encargó con los vecinos de enfrente por diez años

fue una larga niña en el tiempo esperando ser mirada oh sí
sus pechos se negaban a crecer y su voz infantil permanecía
no tenía destino sólo un presente indefinido no tenía prisa

de un fin del mundo a otro su cuerpo empezó a extenderse oh sí
parajes secos de Monclova tristes cantinas de Ciudad Acuña
obstinadas raíces revolcándose en la tierra en Ciudad Juárez

estaba de pie mirándome en medio de un aparcamiento oh sí
yo me acerqué y le dije no tiene remedio debes venir conmigo
el presente era difuso y no había un para qué al iniciar la noche

ella me miraba de pie en el centro de un aparcamiento oh sí

CARTA AL LOCO DEL PELO ROJO

> Soy yo, desde luego, pero yo volviéndome loco
> VINCENT VAN GOGH

Todos somos una boca poblada de huecos una mano que no halla
sostén una pila de cántaros rotos en la tierra

tú has llegado de un alba fría en las bocaminas buscando en los rostros
dolidos de los hombres un mundo distinto y nuevo

tú al fin has llegado al campo de trigos que remueve el sol coronado
de cuervos afilados como dagas

tus vecinos protegen su débil corazón y les pintas un cuadro para
que haya color y esperanza en las paredes de sus casas

aquí está mi hombro dispuesto para el tajo aquí un vaso de ajenjos
y coñaques aquí el pan pobre bajo la luz del sur

ochenta perros te persiguen pájaros cónicos perturban tu mano y no
te dejan pintar a esos ebrios cipreses

médicos y putas y gente peor desean preservar sus rostros en lindos
retratos que amigos e hijos puedan festejar

por eso no están junto a ti y prefieren tus orejas y toman tus cuadros
para cubrir sus cocinas con hoyancos

todo está lleno de hambre y de invierno y ahora que no quedan
dientes ni aliento por fin has encontrado tu pintura

los últimos astros del amanecer te convocan a caminar esta jornada
sabiendo que no verás continuación

hacia el final del día ya no habrá diferencia porque todos debemos
descender al pozo donde respira la locura

estando así las cosas dispara y haz la traza al corazón apedreado
para que todo estalle en color sangre y naranja

así las cosas te invito a este solar porque la luz te está esperando
para brillar cálidamente en tu cuerpo

toda la tarde entre los sembradíos con tu mano en el pecho
protegiendo del polvo el cárdeno agujero que atesoras

no tienes mujer esperando en tu casa no hay una gota sola de vino
en tu vaso pero ya están preguntando por ti

el girasol y las estrellas

Ventana. Hoy no quiere amanecer. Espero al día de pie junto a
la ventana mirando hacia el norte intentando buscarte, niña.
Pero no alcanzo a ver a tu país desde aquí.

Soñar. Ahora mismo que duermes y sueñas en palabras de otra
patria yo me despierto. Y te vivo en mi sueño más que cuando
tu rostro dormido iluminaba mi oscuridad.

Vino. Bebo esta copa donde la noche es puro aroma y sabe a secos
arándanos. En qué noche tan roja y feliz está ahora tu mano breve
agitando la danza de las gotas.

Poesía. Hay una niña en el bar: se parece a ti. Pero tú hablas
de gorriones súbitos que llegan a una plaza. Pero tú dices de
una mujer sola que en su puerta no espera ya el amor.

Futuro. Está frente a mí, mirándome. A ti te circunda la nota
dorada de un oboe mientras miras. Festivas naciones te verán
cantar, pensar, levantar el mundo.

Estrella. La contemplas y la veo estremecerse: sabe que penetrarás
su secreto. Me voy colmado a mi dormir porque estoy seguro que
eres más grande que el universo.

Para Marco Antonio Campos

Y en verdad, Don Antonio Cisneros vive seguro
De que sus versos no habrán de ser leídos por Quevedo
Aunque lo entierren en la tumba vecina.

ANTONIO CISNEROS

Me sobran dedos en la mano siniestra para enumerar y nombrar
a tus iguales en el viaje donde no se habita corazón alguno
y galopan altos corceles de sangre contra el atardecer violeta.
Aquí Gonzalo por ejemplo ese chico que hurga bajo las faldas de
las féminas
Aquí Alí que gancha directo contra el hígado de su propia tribulación.

Olvida la cama y ven a saludar al sol de este día último
no toques ese desayuno que desde anoche alcanzaste a pedir
anda Antonio Cisneros anímate toma tu saco y ya vámonos
que Don Francisco de Quevedo esta mañana temprano
vino a preguntar por ti.

EL POZO DE W. F. HEGEL

Para David Ojeda

Te hubieras mantenido en la superficie de la vida cerca de alguna
palabra a la que pudieras volver rápido

en vez de ir a buscar tan dentro de ti las costuras amargas que explican
tus malsueños y ese temor a estar solo y opaco

esa tarde en el centro comercial entre la belleza y sus aromas debiste
huir de todo para sentir el último sol sobre tus hombros

ten cuidado te dije no busques muy adentro porque en el mero fondo
de ese pozo no puede haber más que locura y disolución

yo voy a bajar ahora mismo me dijiste y lo voy a saber pero puedo
jurarte que volveré de él para decírtelo y luego no oí más

ahora estás hundido en medio del asfalto y del sol cruel y desde
su auto alguien ve que llegas al final de tu descenso

me bebo esta copa de vino tan cárdeno que parece destilado de
la misma noche deseándote buen viaje

TWITCHING LIKE A FINGER
ON THE TRIGGER OF A GUN*

A José de Jesús Sampedro

Hoy he vuelto a la puerta que protegía mis sueños de niño a la pila
donde lavé la sangre de esa edad al montón de piedras que cercaba
la tierra

pero nadie esperaba ahí ni siquiera el sol aquel que ardía en el centro
de la calle las mujeres que nombraban día con día a la paloma al diablo
a la escalera

la tímida muchacha que se abría temprana al amor no estaba y el cielo
donde buscábamos la estrella se había ido

mañanas en que la luz se estrenaba a diario en las banquetas y
nos veíamos las caras para saber si aún estábamos ahí

en un mundo que tenía filos y flores para todos y nos decía de pronto
ésta es la risa mira éste es el amor acércate ven ésta es la muerte

ya no recuerdo el día que traspuse la puerta de mi casa para nunca
regresar creo que simplemente ocurrió y ahora he vuelto

me tomo de la mano buscándome en el rostro de la gente en alguna
ventana donde recargué una espera sombría y sin término ni fruto

busco a un niño que se esforzaba en hacerse un lugar entre todos
y juntaba tiempo en sus bolsillos mientras la tierra crecía lejos

* Simon & Garfunkel.

obstinado en permanecer ahí sobreviviendo

duro como el viejo árbol del patio

crispado como un dedo en el gatillo de una pistola

Ahora creo que podría enumerar los pasos que en busca de ti dejaron
su impronta en el jardín si es que tuviste alguno

o medir los soles de tu desánimo venciendo lentamente la madera
la chapa las bisagras de tu puerta

gotas por completo ajenas a esa llovizna eterna de ti tocando
sus aburridos atabales en el tejado de tu casa

o palabras simplemente cayendo una tras otra como un lento llover
sobre tu cuaderno de notas un goteo ritmado

inventando la vida desde tu propia poza barriendo los pisos de
tu alma recóndita lavando los platos del almuerzo de nadie

qué tren regresa a la estación de Amherst qué coche para en tu nevada
calle qué palabras habrá para decirte

UN SONETO DE MIS VACACIONES EN ACAPULCO

Bebo una copa de vino en el piso 22
observando al país desde una cómoda terraza
y ella que mira el televisor en la recámara
también observa esta nación en la pantalla

ambos contemplamos en el punto más alto
yo a los pequeños hombres que vagan por la arena
ella a las historias que pueblan su determinación
de nada decir: sólo mirar la tv y no dar señales

el muchacho allá abajo vende un tatuaje fugaz
en la cadera de una chica con un bañador rojo
y me digo que el país debería funcionar al revés:

él en el piso con la copa y mi mujer al lado
yo abajo buscando en mi cuaderno los versos
que he de escribir lento en la piel de tu cintura

Todos buscan un bar para encontrarse
todos hallan en el vino y en el pan una fiesta
pero aquí estamos nosotros olvidando
callamos ante el turno de vivir y beber
hombres y mujeres felices conversan
mientras tú y yo estamos descendiendo
cada uno a su poza y al sólido rencor

Salgo del bar tomo tu mano
y pregunto por ti
sin advertir que eres quien camina conmigo

LA VENTANA

Hay una reja en la ventana
una reja hecha de pequeños cuadros
tras uno de esos cuadros lejos en la acera
está la razón de huir por la ventana

para encontrarte sólo debo moverme de lugar

la ventana es una puerta
por la que puedo escapar sólo mirando

3. POEMAS DESDE LA AUTOPISTA

una tras otra pasan veloces las ciudades pero tú eres el mismo en
tu caja de plástico metales y neumáticos

vas lleno de recuerdos como heridas que no conocen el descanso
viendo la rosa de la luna colgar en el campo abierto

a dónde vas rodando sobre ese mundo tan lleno de hieles y cuchillos
tan habitado por el rostro incivil del amor

qué te ha hecho probar el sabor de la tierra y te ha hundido en
un sueño denso y sin imágenes por épocas

a quién le dices ahora que estás vacío y que algo duele pero que
no sabrías cómo decirlo y que nadie sabría ni comprenderlo

por qué enumeras los coches que cruzan la autopista que es también
un Ródano hoy que tu corazón se ha puesto oscuro

y no cabe no cabe en la margen de tu auto

CONDUZCO UN HONDA BLANCO
POR EL PALACIO DE LA LUNA

Para César

Pasa un tráiler tijereando el aire de la noche junto a mí mientras en
las páginas él procura caminar el blando asfalto para no lastimar a
las hormigas. Y yo

que no conozco la ciudad de nueva york

que no he besado a la japonesa kitty woo

que no dejé mi nombre y mis huesos en un parque

en un Honda blanco hiendo veloz la oscuridad a través de
las montañas rocallosas llevando tras mis costillas un reptil hecho
de esperanza y fuego.

Denver a mi espalda se erige como la ciudad huérfana y vacía, toda
metida en un sótano, presa entre la puerta y el muro, con mis ojos
ahí dentro.

No sé por qué conduje este coche hasta aquí, pero está claro ahora
que voy siguiendo su caminata en los párrafos de un largo desánimo
porque secretamente voy parando donde se detuvieron sus pasos
también. Soy su mirada errante y soy sus pies contra las líneas
blancas de la autopista haciendo la existencia cada vez más tenue
y única, soy yo

en una sola dirección escoltado por la luna mirándome

hecho a la firme voluntad de solo seguir hacia adelante

rompiendo con el frente de mi auto a las diminutas estrellas

como él he dejado atrás el pomo de mi puerta. La calle que lavan las hojas muertas, la ciudad con sus paseantes respirando un invierno unánime, sus peatones que rozan los brazos al andar y que no ven a nadie y a quien nadie contempla. Esos ojos vacíos que nos buscan inútiles. El padre, que aguarda en una caja de metal nuestro regreso; la madre que nos sigue llamando desde la cocina. Llaves, páginas, camisas.

con su historia ardiendo entre mis ojos conduzco un Honda blanco por El Palacio de la Luna

me estrello en el tiempo los vacíos me sangran pero voy en busca de ese nuevo comienzo

EL ÁNGELUS DE MILLET
EN EL APARCAMIENTO

De pie en un claro que dejaron los coches nuestras sombras se
extendían por el asfalto aquella tarde en que nos encontró el adiós

el cielo de El Paso del Norte estaba bien planchado por el aire todo
era olor de motores en reposo neumáticos quietos

ahí bañados por las doradas moscas de la luz pudimos darnos cuenta
de que la ciudad había dejado su halo de fiesta

que un rumor de filosas dagas hacía crecer a la muerte en el tiempo
y avanzaba también entre nosotros cortando y cortando

no sé cuánto avanzó mi sombra en esos años separándose no sé
el tamaño del vacío que tu sombra fue encontrando

pero ahí estaban las dos sin darse la mano cuando alguien encendió
el primer auto y el zumbido del motor

se agregó al estrépito de la ciudad en la avenida y después fue seguido
por los coches restantes

avanzando sin más

avanzar solamente con un tigre dormido en el mismo centro de
los ojos

el mundo entero en el retrovisor haciéndote señales de un urgente
retorno

el mundo todo frente a ti es un precipicio horizontal que no conoce
término

ah el hombre que lleva su corazón ardiendo y no puede quitarse
el amor de su piel

firmes las manos en el volante vigilado por las girantes estrellas
del norte

el largo tren que atraviesa una ciudad abandonada silba para espantar
los sueños de nadie

tu auto lanza hacia el disco de la luna pequeñas briznas
de amarillentos céspedes

rompiendo la silente burbuja del tiempo con el siseo del motor

ah la vida que te llama en esa extensa noche para llevarte a un día sin
epílogo

ah la muchacha fantasma subida en el estribo con su puro doler
observando al hombre que conduce

Para Balta, Irma, Paquín, Fer, Mike, Carmen y Concha

1. Neil Armstrong:

Observaba desde la acera el polvorón de la luna. Había oído a
una mujer en el patio de la finca: decía que al pisar Armstrong la luna
ésta se desharía por el peso de su pie. Yo no creía, pero por si acaso
seguía la crónica en el televisor y cuando el astronauta estaba a punto
de saltar de la escalerilla traspuse la puerta a esperar cómo desde
el cielo nos caería una lluvia de finos y delgados escombros.

2. Charles Manson:

Dormía yo en la litera inferior. Sabía que muy cerca de mi casa,
mil millas al oeste, a sólo trece horas en auto, en Los Ángeles,
Charles Manson también estaba en su litera de la prisión, despierto,
pensando en la fuga y en refugiarse en Ciudad Juárez. *Mañana por
la noche estará aquí,* pensaba. Veía su pelo largo y revuelto, sus ojos
ruines, su risa desafiante. Podía dormirme, pero lo hacía con
el corazón estrangulado por la mano del hombre que al día siguiente
vendría por mí.

MEDIANOCHE, A 10 KM DE CIUDAD JIMÉNEZ

Para Marco Antonio Jiménez Gómez del Campo

Ahora pregunto qué palabras avanzaban en ti mientras crecía la noche
en sus túneles de asombro

qué impulso desconocido te acercaba al vacío del día siguiente
eternidad que viaja sobre una autopista sucediéndose

algo muy pequeño acaba de romperse quizá una leve hoja que
el viento nocturno empujó junto a tu espejo

y es el fin porque el viaje ha terminado y se ha detenido la noche
exactamente en el punto del que llega tu voz

diciéndome que aún estás ahí que no hay nada cerca y nada crece
y que nadie ha llegado a levantarte

HERÁCLITO

Subo a mi automóvil en San Luis Potosí
y tomo la carretera para llegar a Ciudad Juárez

cielos abiertos y más tarde estrellas me miran
hormiga en la palma de la mano de Dios

también has de estar por ahí viejo Heráclito
sabiendo que en algún momento iniciaré

la cuenta de mi último kilómetro porque
ya lo dijiste observando el flujo de los autos:

nadie cruza 2 veces la misma autopista

El mundo bien puede empezar con lo que está detrás del parabrisas
del coche que me aleja de ti esta mañana

la avenida larga hendida por el sol nuevo las bocas de los edificios
bostezando la alegría de otro principio

y más allá las ciudades de América tendidas sobre el suelo unidas
por un racimo de historias como tú y como yo

igual a un odre cerrado en sí mismo igual a un no en su concha sola
como unos ojos determinados a no abrirse

somos nosotros y nuestras palabras resonando en nosotros solamente
y por eso el mundo es otra cosa

no se hace preguntas el mundo: es sencillamente y se cumple
extendiéndose pero nosotros tenemos un final

lo que está afuera es infinito pero el interior que somos se hace
interrogaciones porque es una forma de eludir el destino

no hay un para qué en lo exterior pero tu corazón está buscando
respuestas que llegan y luego busca más

lo mismo que el sol partiendo las ciudades la luna siguiendo tu avance
o este taxi que avanza es el mundo

como el amor derrotado o perdido en un césped o como la pregunta
de si será necesario amar es el mundo

y tú y yo vamos dentro y somos otra cosa ciegos y únicos siendo
movidos de allá para acá sin nada saber y preguntándonos

en ocasiones afirmé que algo quedaba en ti

pero ahora sé que nada hay en verdad dentro de mí

RESTOS

Mi afán de vivir está en el automóvil que llevo a la autopista

del altiplano al mar y del mar a la montaña: páramos y el rostro de
una mujer cielos cerrados de preguntas y el rostro de una mujer
negras ciudades que aceleran y el rostro de una mujer

y palabras que caen sobre una hoja en blanco

qué resta ahora en la vida que gotea

en la noche que nada quiere irse porque nadie sabe a dónde con
el norte como es de tan oscuro

apenas quedan algunas notas por ahí

un rostro e inútiles palabras en papel que no sabe recordar

Me habías dicho que ni naciendo otra vez encontrarías a un hombre
mejor que yo y desde entonces pasaron 300 aves sobre el techo del bar
miles de coches frente a la puerta del bar una larga línea
de crepúsculos para el Señor de los Daikiris

es inmenso el anochecer y solas son las estrellas en el cielo de Texas
y más allá de las anchas planicies donde danzan los péndulos
de hierro hay

pájaros de otra naturaleza que pican en la tierra infértil no hay nube
o nave que parta en dos pedazos el ojo daliano de la luna o

res que levante del suelo con su lengua la coliflor violeta de todos
los decesos

lo único que ves es esa línea blanca en la autopista que te obliga
a conducir hacia adelante —Dallas Abilene Odessa Forth Stockton—

hacia las yucas y el mezquite oyendo solamente el motor siseando
contra el aire

me habías dicho llana y fácilmente que me amabas con una voz
que debió oírse sin coacción como una mirada o respirar

mas pasaron 500 cerros en el viaje ocho o 20 ciudades se agotaron
ocho o 20 cervezas o vinos o botellas

el anzuelo del sol en el océano de la tarde

la brasa de un cigarro que mide 50 000 kilómetros de proa

o en el amanecer de marte anaranjando desde una cabina telefónica
una voz llamándote hola hola

y quién es el que llama si ya no queda nadie

frente a un solitario cantinero lo dijiste

frente a espejos podridos por neones eternos lo dijiste

frente a un concierto alegre de vasos y copas lo dijiste así sin más

había sido un sábado largo de tedios y lentos ajedreces buscándose
en las extensas horas del tablero

la vástaga hermosísima cuyos ojos cantaron desde antes de nacer
poetas como Nuño Gonzalo y Neftalí buceaba en su inocencia
junto a un televisor

cuando en medio de una calle sembrada de postes de teléfono y en
la improbable noche de otros astros

más allá de la luna mucho más allá de marte más allá del blanco
que tiñen de rojo los sueños de los árboles

el aparato sonó en un largo ring

ring ring y clara del otro lado de la línea una voz saturada de
metales te decía

aló
   bueno
      cómo estás
         qué tal

4. DAGAS

HETE AQUÍ

Para Édgar Rincón Luna

Porque he aquí a el hombre que sólo necesita algunos pasos para
llegar a casa a curar su desánimo pero ya no hay lugar que aloje
tu cansancio

a la humilde mujer que en el mercado sopesa con sus manos la verdura
y la encuentra fresca y buena aunque nada ha quedado para llevar
a casa

aquélla que detiene su vacilante andar y queda absorta ante
el aparador de una joyería porque te ciega el oro apenas al salir de
la casa de empeño

he aquí al asesino desdentado que sale de prisión y corre para dar
un beso al hijo que no ve desde hace años y tus labios en su frente
arden como una herida

mira al par de ancianos borrachos que buscan febrilmente las monedas
en el interior de un sucio sombrero pero dime qué encuentras en
la cuenca vacía

aquí vemos a el niño de oscuro corazón que se aproxima a ti con
la palma de su mano abierta y tu mano de niño se cierra ante
el desprecio

el viajero que va en el autobús con el alma colgando de un hilo porque
ha decidido enunciar su amor

pero ella se irá al verte y no dará respuesta a tu reclamo

ELLA ESTÁ DORMIDA MIENTRAS ESCRIBO ESTO

Para Rosy Zamora

Busco un lugar para mi taza de café en la mesa atiborrada de libros
mientras ella duerme aún en la recámara contigua
toda la noche oí crecer la lluvia
versa en la cabeza oscuro oscuro hundiéndome
me siento en mi silla para escribir convoco a las palabras
para hacer más ancho el mundo
ella simplemente sueña
y su soñar habita un poderoso páramo
algo más grande que esta pequeña habitación
cercada por el desvelo
y la llovizna

Qué estarás haciendo cuando el sol llame y pregunte si aún estás
aquí cuáles palabras de tu boca salvarán la luz de esta mañana

tú que llena eres de umbriedad y has puesto tus ojos en la más
recóndita gaveta del armario olvidando

respirando un aire como incesante incendio tendida nada más ahí
con un cuerpo obligándose a la muerte

a qué otra fecha sin nadie a qué extensa cuerda de minutos inútiles
conduce este amanecer que insiste en avanzar bajo tu puerta

HA MUERTO ALGUIEN

La cocina con las gavetas abiertas y vacías
y el gran hueco donde estaba el refrigerador
me confirman que alguien ha muerto en la casa

subo a las recámaras con temor de encontrar
tu fantasma en la escalera del fondo
viéndome con los ojos y el corazón fríos

lejos está entonces la mañana de tu año
que tocaste el cancel mientras yo sin mis gafas
leía miope esos libros en versa y me asomé

por la ventana y dije disculpe qué se ofrece
y tú respondiste jorge soy yo por favor
no me digas que no me reconoces

alguien ha muerto y ando buscando su cadáver

CONTEMPLACIONES

Vi una ventana abierta en pleno invierno y vi a las palabras
que escapaban buscando el origen de la luz

En la última mesa del bar ella fumaba observándome y el humo
de su boca construía la oscuridad

Vi a la ciudad como un barco perdida en la lluvia dando tumbos
en un populoso atardecer de enero

Una mujer dormida exhalando la noche mientras en un triste café
me decía la verdad una boca sombría

Vi la pelota de colores que golpeaba insistente la pared y partía
y regresaba entre las manos de un niño

Encendidas las luces del mundo iluminando aceras y estancias vacías
esperando pacientes la sombra de nadie

El día despertando al aire del amanecer como un cuerpo henchido
de recuerdos buscando en el espejo su cadáver

Me vi tras una ventana abierta en pleno invierno: intentaba reunir
las palabras en fuga por el hueco

Eso es lo que vi

RECUENTO

Para Agustín García

Yo tenía un sol solo en el patio de mi infancia

tenía un árbol sencillo muy cerca de mi puerta un simple árbol

yo tenía un perro pequeño de ojos transparentes

amigos que la vida retiraba de uno a uno

en un cajón de madera yo tenía una moneda esplendente que brillaba
como un sol en el centro de la noche

había en mi álbum de fotos un niño bajo un árbol que excavaba
la tierra absorto en el azul de su pala de plástico

el perro que me esperaba tarde a tarde lamía un hueso blanco y bien
pelado tranquilo e ignorante de su nombre

y los amigos que quedaron se hicieron un sitio entre sus nichos
y desde ahí odian y tienen miedo y no crecen

hoy sólo tengo esta página

y me queda el recuento necesario para que puedas leerlo en esta
página

Está buscando en la más pequeña declinación de una palabra el rastro
de esa voz un indicio de que vuelve

algún día todo será otra vez no oscurezcas ahora le habían dicho
una mañana frente a una taza de café

y al abismo que desde entonces es el mundo (aún tenía en sus dedos
el aroma del siglo gozoso de su piel)

pero no era cierto

jamás roza la alondra con su ala extendida

del muro el mismo punto

y esa voz que le hablaba

y la estrella esperando en el sitio necesario del cielo

no serán otra vez

VACA EN EL PRADO

el prado es venenoso pero bonito en otoño
APOLLINAIRE

Porque pace esta vaca su coliflor postrera el día está a punto de ceder
por completo: con sus estrellas y sus banderas. No tendrá nostalgia
por la vida, no

la tarde empezará a girar en sus ojos y ella no sabrá lo que pasa
y acaso las aristas de sus cuernos tracen signos errantes hacia el cielo.
Caerán también

junta el anochecer su peso en nuestras voces y nada podemos decir
y enfrentamos con nuestra propia levedad el destino de ceder

sin explicación alguna, sin remedio: flor mortal y última como
tus ojos con el color del desvelo, hermosos y letales, mirándome
en el linde:

astros bajos, viento levando la hierba, las vacas silenciosas una a una
llegan a su puerta y esperan seguras de que no van a recordar

FOTOGRAFÍAS

Para Joaquín Cosío

Jamás estuve en el cruce de Ramírez y Sexta aquel agosto viéndote
llegar en tu auto en el centro de la lluvia

no era yo a quien mirabas desde unos ojos absortos pensando en
un largo porvenir sin soles en tu patio

y la conversación en la oscuridad de mi sala cuando me dijiste que
el amor necesitaba cumplirse no fue

ahora ya no recuerdo qué palabras te dije y si las dije cuando bajaste
el vidrio de tu ventanilla y te mostré un corazón vencido

no sé si alguna vez entré por tu puerta y ocupé al menos en
un amanecer la estancia que dispusiste para mi descanso

y ya olvidé si mi mano silente en tu piel mientras tu destino todo
soñaba en la sala contigua fue para ti el amor necesario

el mundo es todo lo que está fuera de ti todo amor construye
su derrota y ese espejo que me observa sin sosiego

eres tú preguntándome si eso fue todo

y yo respondiéndote que es así

Llega lenta la claridad y unge los objetos cercanos,
como la taza de café y el lápiz
que están esperando el toque de mis dedos.
Las cosas despiertan.
Yo tengo algo en mí que observa y desconfía del amanecer.
Mente y contemplación sobre el rumor
apenas sentido de la sangre
corriendo tras mis pensamientos y mis ojos.
Lejos se escucha el ladrido de un perro perturbando al sol.
Alas antiguas que rozan los pliegues
del aire pasan junto a la ventana.

El día que hoy amanece
sabe que no llegará a destino alguno,
y tú estás dormida en la otra recámara
fuertemente sostenida de tu sueño
como si alguien llegado a tu dormir
te lo hubiera dicho.

Sentada en el porche de su casa la extravía el tiempo: hace copias incesantes de su tarde porque la bañan los dorados insectos del sol. Y se pierde.

En la rueca de la noche mece las palabras una y otra vez porque busca en ello su diferencia, porque está hundida en lo que señaló su voz.

En el centro de la habitación llora por su negro ángelus: tras su puerta toca el amor que no le es útil y lo que sigue es la noche larga errante.

Sostiene en su mano el acero afilado y corta finamente los lienzos de su ira. Mañana buscará en cajones y bolsas la hora y la consunción.

Desnuda, frente al atardecer, golpeada por las saetas del aire va diciendo a las líneas del asfalto los poemas de su pasión en derrota.

Sus manos que crecieron para la flor se ocupan ahora del asfalto y la espina. Todo su corazón fue a estrellarse contra una luz amarga: ahí está aún.

Yo cuelgo el auricular y con una esbelta daga

corto pasado y presente

y empiezo a andar sin nada querer

y ni siquiera siento las pozas del camino.

UNA PROSA: DAGAS

La luz te busca insistente esta mañana,
es afilada: una daga.
Porque hasta la caricia se torna
una lasceración la luz te quiere expuesta,
sin piel.
Sábana en que se enreda el amanecer
para no cumplirse en minutos
como punciones al centro de tus ojos:
tú que miras solamente al pozo de ti.

Radiante doler del avance,
al borde de ti misma traspones la puerta
y sales a esa caída incesante que es cada día.

Ahora creo que no volví:
quien se fue no está conmigo.
Ni recuerdo el cuándo
y el cómo permanece en el extravío de otro.
Ventana en la que demolí estrellas
dónde estabas.
Palabras que dije: nada.
Hombre surgido de las esquinas de la noche
y que ya no tienes nombre.
Casa de los pisos primeros
confundida ahora en la baraja azul de la ciudad.

Ahora creo
que al dar el primer paso
me he negado todo regreso al origen.

HOTEL

Como un hombre que avanza por el largo pasillo de un hotel

sin reconocer puerta o noche o madrugada o luz que se detenga
en cada uno de sus pasos

así camino por tu vida y así estoy hospedado en ti

me tiendo en tu lecho para asistir a tu soñar con abandonos y puñales

preparo tus comidas que han de nutrir tu desánimo y esa cosa oscura
que eres cuando amas

cuido tu dormir construido de secas palpitaciones y palabras duras
como piedras de otra lengua

levanto este vaso hecho de nada y que ahora colman las estrellas
muy cerca del trópico de cáncer

para que tú me preguntes quién eres

para que yo te diga quién soy

para que enfrentemos juntos la noche enorme

con la duda de saber si se termina o amanece

FINAL

Canta la ciudad en su negro color
y en su hueco grande y hondo se escucha sólo el rumor de la palabra
la vida en su disolución y del amor la pústula
se guardan en la poesía como basuras

la poesía es la tumba de todo

la poesía es el cadáver de la vida que algunos pasan cargando ante
tu puerta

*Te diría que fuéramos al río Bravo a llorar pero debes saber
que ya no hay río ni llanto*, de Jorge Humberto Chávez,
se terminó de imprimir y encuadernar en octubre de 2013
en Impresora y Encuadernadora Progreso, S. A. de C. V. (IEPSA),
calzada San Lorenzo, 244; 09830 México, D. F.
La edición estuvo al cuidado de *Nancy Rebeca Márquez Arzate*.
El tiraje fue de 1 000 ejemplares.